DE L'EMPLOI DU NITRATE D'ARGENT

CONTRE CERTAINES

MALADIES CHRONIQUES

DES

ORGANES GÉNITO-URINAIRES.

DE L'EMPLOI DU NITRATE D'ARGENT

CONTRE CERTAINES

MALADIES CHRONIQUES

DES

ORGANES GÉNITO-URINAIRES

PAR

P.-S. SÉGALAS,

MEMBRE DE L'ACADÉMIE IMPÉRIALE DE MÉDECINE, ETC.

Publications de l'**Union Médicale** (nouvelle série), des 9, 16 et 23 Avril 1859.

PARIS

CHEZ J.-B. BAILLIÈRE,

LIBRAIRE DE L'ACADÉMIE IMPÉRIALE DE MÉDECINE,

Rue Hautefeuille, 19.

—

1859

DE L'EMPLOI DU NITRATE D'ARGENT

CONTRE

CERTAINES MALADIES CHRONIQUES

DES

ORGANES GÉNITO-URINAIRES.

***

Les maladies chroniques des organes génito-urinaires, comme on ne le sait que trop, sont tout à la fois très multipliées et très diverses; mais elles offrent cela de remarquable et de fort heureux, qu'un certain nombre d'entre elles cèdent à l'application locale et méthodique d'un même agent thérapeutique. Cet agent, aussi commode à employer que facile à se procurer et à conserver, c'est le nitrate d'argent.

Je fais un usage journalier de ce sel depuis plus de trente ans. J'en ai étudié les effets avec le soin que commande toute médication énergique. Je crois utile d'indiquer les affections contre lesquelles il se montre le plus efficace, et d'exposer les procédés qui m'ont réussi le mieux dans son emploi.

Je ferai, pour ce mode de traitement, ce que j'ai fait pour la lithotritie.

I

DE L'EMPLOI DU NITRATE D'ARGENT CONTRE LES RÉTRÉCISSEMENTS ORGANIQUES DE L'URÈTHRE.

Les rétrécissements organiques de l'urèthre de l'homme sont la première maladie des organes génito-urinaires, qu'à l'exemple de Ducamp, j'ai attaquée par l'application du nitrate d'argent. Voici ce que je disais à ce sujet, en 1828, dans l'avertissement qui précède mon *Traité des rétentions d'urine* (1) :

« Dans la seconde partie, je rapporte en détail, et avec les dessins à l'appui, une série
» d'observations de maladies diverses des organes génito-urinaires, pour la plupart
» liées à des rétrécissements organiques de l'urèthre et traitées par le caustique. On y
» verra combien les craintes de quelques chirurgiens sur les effets du nitrate d'argent
» sont peu fondées, et combien sont grands les avantages que l'on peut retirer de
» l'emploi d'un agent si puissant et désormais si facile à diriger. »

Mon opinion sur l'efficacité du nitrate d'argent et sur la facilité de son emploi n'a pas changé. Loin de là, je suis plus que jamais convaincu que, non seulement les rétrécissements de l'urèthre, mais encore plusieurs des affections qui en sont la conséquence plus ou moins directe, peuvent être combattues, presque toujours avec un plein succès, et, dans tous les cas, sans aucun danger, par l'usage méthodique de l'agent dont il est question.

Les rétrécissements de l'urèthre chez l'homme sont pour moi de trois ordres : les rétrécissements spasmodiques, les rétrécissements inflammatoires et les rétrécissements organiques.

Les premiers ne se manifestent guère que dans les parties du canal qui sont embrassées par des fibres musculaires bien prononcées, c'est-à-dire dans la portion dite membraneuse et sous les muscles bulbo-caverneux ; ils n'ont jamais qu'une durée temporaire, et cessent presque toujours avant que l'art intervienne pour les combattre.

Les rétrécissements inflammatoires peuvent s'établir dans toute l'étendue de l'urèthre ; mais ils se montrent le plus souvent dans le gland, près du méat urinaire, et dans la portion profonde du canal. Ils se compliquent fréquemment d'un rétrécissement spasmodique. Ils cèdent ordinairement en peu de jours, ou au moins en peu de semaines, à l'emploi plus ou moins énergique des moyens antiphlogistiques. Quelquefois, l'on est obligé d'y associer la dilatation intermittente avec les bougies, ou même la dilatation continue avec la sonde. Nous verrons plus tard que quelques injections avec une faible solution de nitrate d'argent aident beaucoup à leur guérison.

Les rétrécissements organiques succèdent aux rétrécissements inflammatoires, et,

______

(1) *Traité des rétentions d'urine et des maladies qu'elles produisent.* Un vol. in-8° avec 10 planches in-folio.

comme eux, peuvent avoir leur siége dans toute les parties de l'urèthre; néanmoins, c'est vers la portion membraneuse et au commencement de la portion spongieuse qu'on les observe le plus souvent.

Ils cèdent quelquefois à la simple dilatation. Dans l'insuffisance de celle-ci, l'application concomitante du nitrate d'argent en fait presque toujours bonne et prompte justice. Ce n'est que dans des cas tout à fait exceptionnels que j'ai dû, pour les faire disparaître, recourir à l'instrument tranchant. Il y a, sous ce rapport, une grande différence entre la pratique habituelle de la ville et celle des hôpitaux, où l'on a souvent affaire à des malades qui se sont longtemps négligés, ou, ce qui est pire, à des malades qui ont été traités d'une manière peu rationnelle.

Je n'ai pas à exposer ici le traitement des rétrécissements organiques de l'urèthre par la dilatation, soit avec les bougies de cire ou de gomme élastique, soit avec la sonde métallique ou les sondes flexibles, introduites chaque jour et laissées en place durant quelques minutes seulement, ou conservées à demeure pendant un temps plus ou moins long; non plus que le traitement par l'instrument tranchant, quelles que soient d'ailleurs la forme, les dimensions et la manœuvre de celui-ci. Je n'ai à m'expliquer, pour le moment, que sur la manière dont je les combats avec le nitrate d'argent.

Je dois dire tout d'abord que, depuis bien des années, je n'ai recours à la cautérisation proprement dite, à l'application locale du nitrate d'argent à l'état solide, que dans les cas bien constatés de rétrécissements rebelles à la simple dilatation par les bougies de cire. A cet effet, j'introduis celles-ci tous les jours, soit de prime-abord, quand cela est possible, soit, dans l'hypothèse contraire, consécutivement à l'emploi d'instruments plus déliés de gomme élastique, et je les laisse en place cinq à dix minutes chaque fois.

Si, ce qui arrive assez souvent, les bougies, dont j'augmente graduellement la grosseur, ne portent aucun indice de dépression à leur surface, ou, si après en avoir d'abord montré, elles cessent d'en offrir, alors même qu'elles sont très molles et du plus fort diamètre, je borne là mon traitement. Presque toujours il suffit pour obtenir la guérison complète, ou du moins une guérison plus ou moins durable et aussi sûre que possible.

Si, au contraire, la bougie de cire, après un séjour de quelques minutes dans l'urèthre, a subi, sur un point quelconque de sa surface, une forte dépression, circulaire ou non, en d'autres termes, si elle sort avec un signe évident d'une résistance de la part d'un rétrécissement qui règne sur une étendue plus ou moins grande du canal, je me prépare à combattre ce rétrécissement par l'application locale du nitrate d'argent, à l'état solide.

S'agit-il d'un rétrécissement qui ait son siége dans la partie antérieure ou droite de l'urèthre? Je prends mon porte-caustique droit (fig. 1), tel que je l'ai présenté à l'Académie de médecine, en 1829, composé d'un tube d'argent contenant un second tube également d'argent, et d'un stylet de même nature contenu dans celui-ci et terminé par un cuillère en platine propre à recevoir le sel caustique (1).

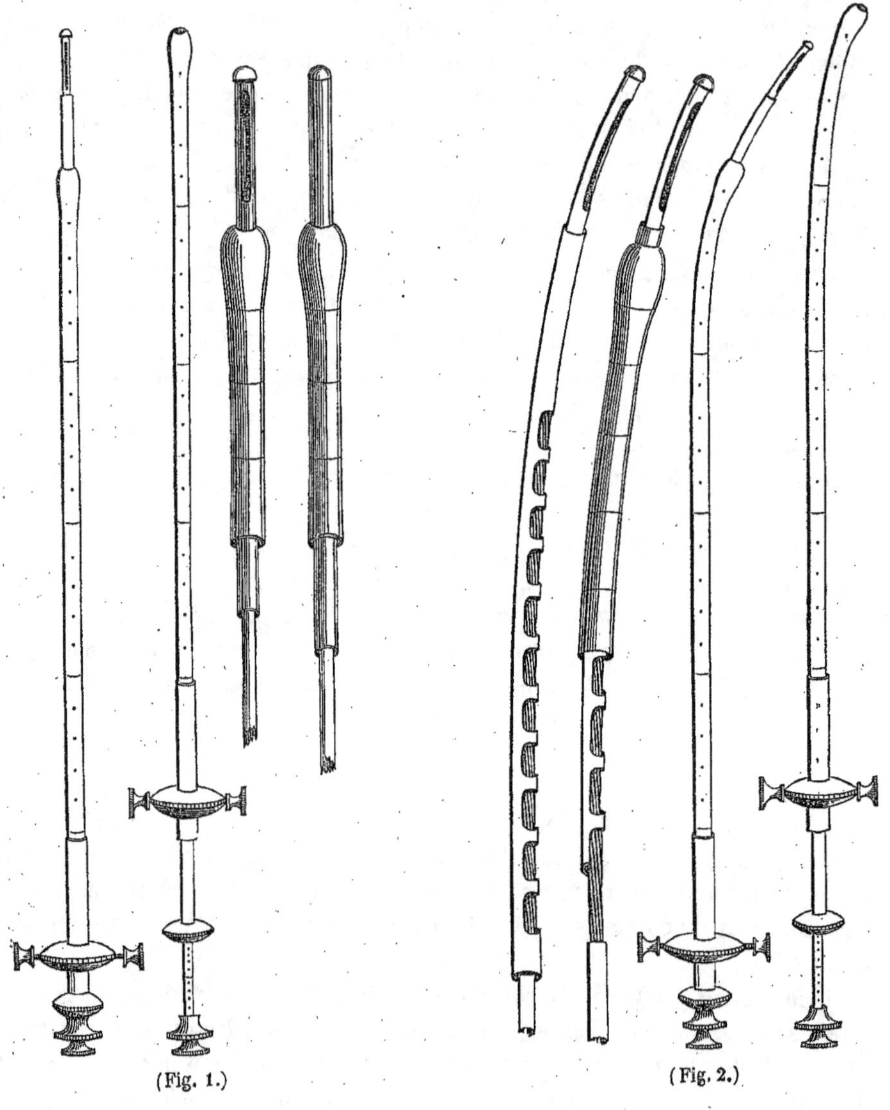

(Fig. 1.)　　　　　　　　　　　　　　　　　　　　　　　(Fig. 2.)

S'agit-il d'un rétrécissement placé plus profondément, dans la portion courbe du canal? Je m'arme d'un porte-caustique courbe (fig. 2), composé de même de trois

(1) Cet instrument et les autres instruments métalliques dont il est question dans ce travail, ont été fabriqués, à leur origine, par M. Charrière. Ils le sont aujourd'hui par M. Charrière fils, digne héritier du zèle et du talent de son père.

parties métalliques : d'un tube courbe, d'un autre tube également courbe, mais susceptible de glisser dans le premier, grâce à une série d'échancrures pratiquées sur son côté concave, et d'un stylet portant un faisceau de fils de platine, terminé par une cuillère du même métal (1).

Pour fixer le nitrate d'argent dans l'un et l'autre de ces porte-caustiques, je pulvérise le sel, je le place dans la cuillère à l'aide d'une petite lame de platine, et le fais fondre à la lampe à esprit de vin. Cette petite opération demande un peu d'attention pour que le sel se fonde et se fixe dans la cuillère sans se boursoufler.

Quand la cuillère est chargée, le stylet qui la porte est ramené dans l'intérieur de la deuxième canule, et celle-ci dans la première, de telle sorte que les extrémités des trois pièces se correspondent, et que ces pièces constituent, pour ainsi dire, une seule sonde terminée par un bout olivaire.

L'instrument ainsi disposé et choisi selon le lieu où il doit agir, je l'enduis d'huile d'olive et le porte dans l'intérieur de l'urèthre. Arrivé sur le rétrécissement, ce dont je suis averti d'un côté par la graduation du tube extérieur, en ayant égard à la profondeur de l'obstacle donnée par la bougie de cire, et de l'autre par la résistance qu'éprouve l'olive terminale dans sa progression, je fais avancer la deuxième canule dans le rétrécissement, et quand j'ai acquis la certitude qu'elle s'y trouve bien engagée avec le stylet, je la retire seule vers la première, laissant à découvert, et en face du rétrécissement, la cuillère chargée du sel caustique; puis, selon que le rétrécissement existe d'un côté, de deux côtés, de trois ou de quatre, j'imprime ou non, à la tige qui porte la cuillère, un mouvement circulaire plus ou moins étendu; après quoi, je fais rentrer la cuillère dans la deuxième canule, et je retire l'instrument dans son ensemble. De cette manière, je fais agir le nitrate d'argent sur le point à cautériser, et sur ce point seulement.

Quand le rétrécissement a son siége dans la partie droite de l'urèthre, on peut, si on le juge convenable, imprimer le mouvement circulaire aux trois pièces à la fois; dans la partie courbe, cela serait impossible, et c'est déjà beaucoup que de pouvoir opérer le mouvement avec une tige métallique. J'y suis parvenu dans le temps, en substituant une corde flexible en platine à la tige inflexible dont se servait Lallemand. Depuis, M. Charrière a atteint le même but de deux autres manières: d'abord avec une chaîne d'argent à la Vaucanson, et ensuite avec une simple spirale de même métal. La tige de gomme élastique de Ducamp avait le grave inconvénient de se tordre sur elle-même, et d'induire en erreur sur la position réelle du caustique.

Quels que soient le siége et l'étendue du rétrécissement, quel que soit l'instrument avec lequel on porte sur lui le nitrate d'argent, il est bon de recommander au malade

---

(1) *Note sur un porte-caustique propre à appliquer le nitrate d'argent à toute profondeur dans l'urèthre et à l'y faire agir avec précision sur un ou plusieurs points ou même circulairement*; lue à l'Académie de médecine.

de suivre un régime doux, de boire abondamment, et d'éviter la fatigue, surtout celle de l'organe affecté.

L'eschare produite par cette opération se détache ordinairement par petites parcelles peu distinctes, en vingt-quatre ou trente-six heures, et quelquefois en son entier, sous la forme d'une pellicule, après trois ou quatre jours. C'est lorsque la cautérisation a été très profonde que ce dernier fait a lieu.

Dans tous les cas, je commence à introduire de nouveau des bougies de cire dès le second jour, et j'en continue l'usage intermittent, en en augmentant peu à peu la grosseur, jusqu'au rétablissement de la largeur normale du canal, ou jusqu'à l'apparition de nouvelles dépressions sur leur surface, auquel cas je reviens à l'application du nitrate d'argent et procède absolument de même.

Il est bien rare qu'une, deux ou trois cautérisations, aidées par l'introduction consécutive de bougies de cire, ne suffisent pas pour faire disparaître toute trace de rétrécissement. Il est prudent, en toute hypothèse, de ne pas trop multiplier les cautérisations. Je suis persuadé qu'on a fait bien des fois un usage abusif de ce moyen thérapeutique, et que c'est là la cause des reproches qu'on lui a adressés dans ces derniers temps.

Je ne partage pas la manière de voir de certains chirurgiens relativement à l'emploi secondaire des bougies de cire. Je crois cet emploi fort utile pour accélérer et assurer la guérison. Je ne le néglige jamais.

II

DE L'EMPLOI DU NITRATE D'ARGENT CONTRE LES FISTULES URINAIRES.

Une affection contre laquelle j'ai employé le nitrate d'argent de bonne heure et avec avantage, c'est la fistule urinaire uréthrale; je l'ai porté toujours sur l'orifice interne de l'ulcère, tantôt à l'état solide, à l'aide d'un porte-caustique droit ou courbe, suivant la profondeur, tantôt à l'état liquide, au moyen d'une petite sonde de gomme élastique.

Pour le premier mode d'application, je procède comme lorsqu'il s'agit d'attaquer un rétrécissement sur un seul côté du canal; je commence par déterminer, autant que possible, par un examen attentif, avec la bougie à olive, la sonde à empreinte ou tout autre instrument, le point où l'urèthre est percé, et je dirige la cuillère chargée du sel caustique sur ce point; je l'y laisse quelques secondes; puis je la retire, après avoir pris la précaution de la faire rentrer dans sa gaîne.

Cette cautérisation, répétée un plus ou moins grand nombre de fois, favorise singulièrement l'effet des sondes laissées en place, ou au moins introduites pour chaque miction.

Dans le cas où les données sur l'ouverture interne de la fistule sont insuffisantes pour en préciser le siége, je me sers du nitrate d'argent à l'état liquide, et voici comment :

Je plonge un petit pinceau de blaireau dans une solution à partie égale de nitrate d'argent cristallisé et d'eau distillée, et je lave ce pinceau, ainsi imprégné de liquide caustique, dans la quantité d'eau ordinaire que peut contenir une petite seringue d'ivoire, à injections uréthrales; après quoi, chargeant celle-ci du mélange obtenu de la sorte, mélange qui contient généralement une partie de sel pour 100 parties d'eau, et engageant son bec dans le pavillon d'une sonde de gomme élastique introduite dans le canal, de manière que ses yeux correspondent à la région où s'ouvre la fistule, je pousse doucement le liquide dans cette région.

Cette application du nitrate d'argent peut être répétée un grand nombre de fois impunément. Elle m'a été utile dans bien des circonstances, notamment dans celles où la fistule, étant de longue date, offrait plusieurs orifices à l'extérieur, et se trouvait compliquée d'indurations.

A la suite des opérations d'uréthroplastie que j'ai pratiquées dans le but de remédier aux fistules rebelles de la partie antérieure de l'urèthre, j'ai bien des fois eu recours au nitrate d'argent, pour compléter la guérison. Je l'ai appliqué sous les deux formes, solide et liquide, tant à l'extérieur qu'à l'intérieur. Ici, plus qu'ailleurs encore, il convient d'en user avec réserve, de manière à opérer le moins de perte de substance possible dans les parties qu'on cherche à réunir (1).

Faut-il rappeler le parti que l'on peut tirer du nitrate d'argent pour la guérison des fistules vésico-vaginales, au moins comme moyen secondaire ? Qui ne sait qu'il est, à cet égard, depuis bien longtemps dans la pratique de tous les chirurgiens, et en particulier dans celle si brillante de notre honorable collègue, M. Jobert de Lamballe. Je l'emploie, en ce cas, sous forme de crayon, et quelquefois à l'état liquide, au moyen d'un pinceau. J'en ai obtenu plusieurs fois un bon résultat.

III

DE L'EMPLOI DU NITRATE D'ARGENT CONTRE LES FAUSSES ROUTES DE L'URÈTHRE.

Au commencement de ma pratique spéciale, j'ai rencontré un grand nombre de fausses routes. J'en observe bien moins aujourd'hui. Il est établi, pour moi, que la connaissance des maladies des voies urinaires se généralise, et que les médecins se familiarisent avec les manœuvres chirurgicales que réclament ces maladies.

Dès mon début, je me suis bien trouvé d'attaquer ces fausses routes avec le nitrate d'argent. Voici comment j'ai procédé et comment je procède.

Quand la difficulté éprouvée pour introduire une bougie me fait soupçonner qu'il

(1) Lettre à M. Dieffenbach *sur l'uréthroplastie*, 1840 ; — Mémoire sur le même sujet, 1845.

existe une fausse route, je m'arme d'une sonde exploratrice de Ducamp, et je la porte sur l'obstacle. Si l'empreinte que j'obtiens est bifurquée, j'ai la certitude d'une fausse route; mais il reste souvent à déterminer quelle est celle des deux voies existantes qui est la bonne.

Pour cela, je présente à l'urèthre une très petite bougie conique de gomme élastique, après avoir eu le soin d'en recourber légèrement la pointe, et je fais en sorte de l'engager dans l'une des voies. Il est évident qu'elle ne pourra parcourir que la bonne, et que la laissant un peu en place, en vue d'une dilatation plus ou moins facile, et, prenant ensuite une nouvelle empreinte, j'aurai dans celle-ci l'indication de la voie qu'il faut fermer, puisque la tige de cire qui correspond à la bonne voie aura éprouvé un grossissement et probablement aussi un allongement sensible. Il ne s'agit plus alors que d'engager un porte-caustique dans la voie naturelle, et de le faire agir sur la cloison qui la sépare de la fausse.

De cette manière, on produit un double effet : on travaille d'un côté à détruire l'éperon intermédiaire, et de l'autre à provoquer une inflammation adhésive dans les parois restantes de la fausse route. Si ensuite on laisse une bougie ou une sonde dans l'urèthre, on favorise la réunion des parties divisées, et, par conséquent, la disparition de la voie accidentelle.

C'est ce que j'ai obtenu, ordinairement sans peine, quelquefois par une première application de nitrate d'argent, d'autres fois par deux ou trois applications successives, faites à quelques jours d'intervalle.

Ce résultat se constate très bien avec la sonde à empreinte portée de nouveau sur le siége de la fausse route.

IV

DE L'EMPLOI DU NITRATE D'ARGENT CONTRE L'INFLAMMATION CHRONIQUE DE L'URÈTHRE, AVEC BLENNORRHÉE OU PERTE DE SANG.

J'ai combattu bien des fois avec succès par le même moyen l'inflammation chronique de la partie profonde de l'urèthre, soit qu'elle eût pour effet un simple écoulement de mucus ou de muco-pus, soit qu'elle donnât lieu à la sortie d'une certaine quantité de sang, avec les urines ou avec le sperme.

Ici encore, j'ai appliqué le nitrate d'argent tantôt à l'état solide, à l'aide d'un porte-caustique courbe, tantôt à l'état liquide et plus ou moins étendu, au moyen d'une petite seringue d'ivoire et d'une sonde de gomme élastique. J'emploie de préférence ce dernier mode de cautérisation contre les écoulements purement muqueux, tandis que j'use souvent du premier contre les écoulements puriformes, et surtout contre les pertes de sang.

Je répète les injections tous les deux ou trois jours, quelquefois tous les jours, pendant une ou deux semaines, ou même plus longtemps. Quant à l'application du porte-caustique, je ne la fais guère qu'après une semaine de repos, et rarement j'en use plus de trois ou quatre fois.

Comme généralement l'inflammation dont il s'agit est accompagnée de plus ou moins de rétrécissement de l'urèthre, je fais presque toujours concourir au traitement l'introduction momentanée et quotidienne de bougies de cire. Il y a plus, je commence d'ordinaire par porter directement le nitrate d'argent sur la partie rétrécie.

J'ai observé quelquefois, à la suite de l'application du nitrate d'argent dans la région prostatique, une orchite plus ou moins intense. Mais j'ai toujours combattu cet accident avec un plein succès. Pour cela, il m'a suffi souvent du repos et des applications astringentes, et, dans tous les cas, des sangsues et des cataplasmes émollients.

Afin de prévenir autant que possible un tel résultat, je fais porter un suspensoir aux malades que je soumets à cette médication.

Je traite de même l'écoulement chronique, muqueux ou puriforme, venant des parties moyenne et antérieure du canal. Le nitrate d'argent le combat ordinairement avec succès. Dans ces régions, je l'emploie toujours à l'état liquide et généralement très étendu d'eau, mais à des intervalles très rapprochés, tous les deux ou trois jours, ou même tous les jours.

V

DE L'EMPLOI DU NITRATE D'ARGENT CONTRE LES POLLUTIONS, LA STÉRILITÉ ET L'IMPUISSANCE.

M. Lallemand, avec l'autorité qu'on lui connaît, a préconisé l'emploi du nitrate d'argent contre une affection fréquente et donnant lieu parfois aux désordres les plus graves dans les fonctions de l'économie, notamment dans les fonctions génitales, cérébrales et digestives, je veux parler des pollutions ou pertes séminales involontaires (1).

J'ai employé bien des fois le nitrate d'argent contre les pertes séminales involontaires, tant nocturnes que diurnes, caractérisées ou non par la présence de spermatozoaires dans le fluide émis, et, sous ce rapport, mes observations s'accordent parfaitement avec celles du célèbre professeur de Montpellier. J'ai obtenu les plus heureux résultats de ce mode de traitement quand j'ai eu affaire à des pollutions causées ou entretenues par l'inflammation chronique de la membrane muqueuse de la portion prostatique de l'urèthre. Très souvent une seule cautérisation a suffi pour ramener la fonction à l'état normal, et, dans les cas les plus rebelles, une seconde cautérisation,

_____

(1) *Des pertes séminales involontaires* ; par M. Lallemand, professeur à la Faculté de Montpellier. Trois volumes in-8°, 1839.

suivie de bains sulfureux et de quelques soins hygiéniques, m'a fait presque toujours atteindre le but.

On pense bien que j'ai dû combattre tout autrement les pollutions ayant pour cause soit la présence d'ascarides vermiculaires dans le rectum, soit l'accumulation de la matière sébacée sous le prépuce, soit un état habituel de constipation, soit toute autre circonstance étrangère aux voies urinaires.

Dans cette maladie, le nitrate d'argent doit être appliqué énergiquement et à l'état solide. Je le porte dans la région prostatique, vers les orifices des conduits éjaculateurs, sans craindre d'en étendre l'action en avant jusqu'au col de la vessie et en arrière sur la partie membraneuse. Il y a ordinairement, à la suite de cette cautérisation, des douleurs assez vives, des besoins fréquents d'uriner, et d'autres symptômes d'une inflammation aiguë des parties touchées ; mais ces effets cèdent promptement aux moyens antiphlogistiques ; jamais je ne les ai vus devenir graves, ni même se prolonger beaucoup.

Les pollutions répétées, on le sait, exercent une influence désastreuse sur les facultés génitales de l'homme, et plus d'une fois la stérilité et même l'impuissance en ont été le résultat. De telle sorte qu'en remédiant à ces pollutions, l'application du nitrate d'argent, sur la partie profonde de l'urèthre, peut avoir pour effet le rétablissement normal des fonctions génitales.

D'un autre côté, les rétrécissements organiques de l'urèthre ont souvent pour conséquence la stérilité, en gênant plus ou moins l'excrétion du sperme et son introduction dans les voies qu'il doit parcourir. Le nitrate d'argent, dont nous avons reconnu l'efficacité contre les rétrécissements, peut donc encore ici être considéré comme un remède contre la stérilité, et plus d'une fois j'en ai obtenu des résultats très satisfaisants.

J'ai vu, en outre, assez souvent, l'impuissance être, sinon l'effet, au moins une complication des rétrécissements organiques de l'urèthre, et céder au traitement de ceux-ci par le nitrate d'argent. J'ai recueilli un exemple très remarquable de ce fait chez un négociant qui, pris d'une difficulté extrême d'uriner, à Madrid, est venu immédiatement me trouver à Paris, n'accusant que cette difficulté d'uriner, et chez lequel la cautérisation de l'urèthre a eu pour résultat non seulement la guérison de la maladie annoncée, mais encore celle d'une impuissance dont il était affecté depuis près de deux ans, lui, homme d'une forte et belle constitution, âgé à peine de 40 ans, et marié avec une très jeune et très jolie femme. Je l'ai guéri de son impuissance sans m'en douter, et ce n'est que lorsqu'il est venu me remercier, avec l'accent de la plus vive reconnaissance, que j'ai connu toute l'étendue du service que je lui avais rendu.

Il y a encore une autre cause de stérilité qui cède à l'application méthodique du nitrate d'argent. C'est celle qui consiste dans la direction vicieuse des orifices des conduits éjaculateurs. Dans ce cas, les rapports sexuels ont lieu comme à l'ordinaire ; mais le sperme, au lieu de s'élancer par le méat urinaire, reflue vers la vessie, et tombe dans ce réservoir, pour n'en sortir qu'avec les urines. Le nitrate d'argent, porté au devant des conduits éjaculateurs, peut modifier la position de ces orifices et rétablir le cours naturel du sperme. M. Lallemand rapporte plusieurs observations qui témoignent de ce fait. Moi-même, j'ai eu l'occasion de le constater deux fois. Chez mes malades, comme chez ceux de cet habile opérateur, le cours vicieux du sperme paraissait être la conséquence d'un obstacle manuel apporté à l'éjaculation naturelle.

Ce n'est pas tout : j'ai vu les plus heureux effets produits par le nitrate d'argent chez des malades affectés de stérilité sans pollutions apparentes, sans rétrécissements organiques de l'urèthre, sans reflux du sperme dans la vessie, et chez lesquels l'exploration attentive du canal ne faisait connaître qu'une sensibilité un peu vive dans la portion prostatique. J'ai notamment obtenu un beau résultat en ce genre chez un homme considérable, traité sur la demande et sous les yeux d'un membre éminent de l'Académie, son très proche parent.

Toutefois, je n'oublie pas, et d'ailleurs M. Roubaud me rappellerait (1) que les rapports sexuels et la fécondation exigent la réunion d'une multitude de conditions, et que, par l'application locale du nitrate d'argent, on ne peut espérer d'influer que sur un nombre restreint de ces conditions.

VI

DE L'EMPLOI DU NITRATE D'ARGENT CONTRE LES FONGOSITÉS DE L'URÈTHRE.

Le même agent m'a réussi plusieurs fois contre des fongosités de l'urèthre de l'homme donnant lieu, de temps à autre, à une abondante hémorrhagie.

J'ai remarqué que, dans ce cas, il est bien de l'employer à l'état solide et avec énergie. Ce n'est qu'à cette condition qu'on en obtient le résultat voulu.

Je commence par bien étudier le siége et l'étendue du fongus, à l'aide de divers instruments d'exploration ; puis, je fais en sorte de pratiquer la cautérisation sur toute sa surface.

Il m'a fallu, chez quelques malades, répéter cette cautérisation quatre ou cinq fois, à huit ou dix jours d'intervalle, pour mettre fin aux hémorrhagies ; mais j'ai eu le bonheur de voir, sous l'influence de ce moyen, revenir à une excellente santé des personnes presque exsangues et dont les forces étaient complétement épuisées, entre autres un astronome étranger, que j'ai traité aux Néothermes, il y a quelques années.

Il en a été encore ainsi relativement à des fongus de l'urèthre de la femme. Je les ai combattus avec succès quand, après l'ablation de la partie saillante, par arrachement ou par incision, j'ai cautérisé la racine avec le nitrate d'argent ; je le dirige sur elle au moyen d'un pinceau ou d'un porte-caustique métallique, suivant le plus ou

---

(1) *Traité de l'impuissance et de la stérilité chez l'homme et chez la femme* ; par le docteur Félix Roubaud. Deux volumes in-8°, 1855.

moins d'étroitesse du canal, suivant le plus ou moins de profondeur de la partie à brûler.

VII

DE L'EMPLOI DU NITRATE D'ARGENT CONTRE LE CATARRHE DE VESSIE.

Une affection contre laquelle le nitrate d'argent se montre bien efficace, c'est le catarrhe de vessie. Dans ce cas, je l'emploie le plus souvent à l'état liquide et plus ou moins étendu d'eau, selon l'intensité du catarrhe et le degré de sensibilité de l'organe.

Il y a dans cette médication un soin important à prendre, c'est de laver la vessie à grande eau immédiatement avant l'injection du liquide caustique; sans cela, on s'exposerait à concréter des mucosités et à favoriser la formation de noyaux lithiques.

Ce danger, que la théorie indique, j'ai eu l'occasion de le vérifier une fois, ainsi que je l'ai dit ailleurs (1). J'ai brisé sous les yeux de mon honorable confrère, M. le docteur Denis, sur un malade qui venait de se faire lui-même plusieurs injections au nitrate d'argent, une petite pierre noire, de nature phosphatique et de formation récente, dans la composition de laquelle l'analyse, faite par M. Mialhe, a montré l'existence d'une certaine quantité de chlorure d'argent, produit évident de l'action du sel injecté.

Je répète ordinairement ces injections une ou deux fois par semaine; quelquefois plus souvent; j'agis suivant les effets observés. Je n'ai jamais éprouvé d'accident d'aucun genre à la suite de leur emploi.

Quelquefois j'ai donné la préférence au nitrate d'argent à l'état solide. C'est dans des cas où l'inflammation catarrhale m'a paru avoir son principal siége au col de la vessie, et alors je me suis attaché à en faire l'application à la surface interne de ce col, à l'aide d'un porte-caustique courbe.

VIII

DE L'EMPLOI DU NITRATE D'ARGENT CONTRE LE FONGUS DE LA VESSIE.

Les résultats obtenus contre les maladies organiques de l'urèthre étaient propres à m'encourager. Il était naturel de passer des fongus de ce canal à ceux de la vessie, à ces affections si redoutables pour les malades, si désespérantes pour les médecins. C'est ce que j'ai fait; mais j'ai été moins heureux ici. J'ai rencontré des fongus complétement rebelles à ce genre de traitement; d'autres, qui, après avoir cédé une première fois, se sont reproduits, et contre lesquels ensuite tous mes efforts sont restés infruc-

(1) *De la lithotritie considérée au point de son application*, 2º édition, 1856.

tueux. Toutefois, j'ai quelques exemples de plein succès, un entre autres obtenu, il y a dix ans, avec le bon concours de M. Pouget, chez un malade de Chartres, aujourd'hui plus qu'octogénaire; et, à mon sens, le nitrate d'argent est encore le moyen le plus efficace que nous possédions contre cette maladie.

Dans la vessie, comme dans l'urèthre, je l'ai employé de deux manières contre le fongus : à l'état solide, à l'aide d'un porte-caustique très courbe, et à l'état liquide, au moyen d'une sonde de gomme élastique et d'une petite seringue en ivoire. Je me sers du premier mode de cautérisation quand l'affection siége au col et qu'elle a une étendue limitée; dans le cas contraire, je donne la préférence au second mode.

L'observation de ce qui se passe sur les membranes muqueuses soumises à la vue ne permet point de douter que le nitrate d'argent ainsi employé n'agisse spécialement et presque exclusivement sur la partie malade, à cause de la protection assurée au reste de la vessie par l'épithélium.

Je me borne à quelques applications hebdomadaires du sel à l'état solide. Il n'en est pas de même quand je l'emploie à l'état liquide : j'en use plus souvent et plus longtemps.

L'action neutralisante de l'urine fait que, sous l'une et l'autre forme, l'effet caustique du sel n'est jamais ni prolongé, ni profond, même sur les parties dépourvues d'épithélium.

IX

DE L'EMPLOI DU NITRATE D'ARGENT CONTRE CERTAINES AFFECTIONS CHRONIQUES DES PARTIES GÉNITALES DE LA FEMME.

Les granulations, les fongosités, les érosions, et encore certaines ulcérations du col de l'utérus, avec écoulement muqueux, mucoso-purulent ou sanguinolent, et même avec perte plus ou moins considérable de sang, sont des affections contre lesquelles le nitrate d'argent se montre fort efficace.

C'est toujours à l'état liquide que je le leur oppose. Je me sers pour cela de mon spéculum à quatre valves, spéculum que j'ai présenté à l'Académie de médecine, il y a vingt et quelques années.

Cet instrument, dont je joins ici le dessin, est composé de quatre plaques métalliques disposées en gouttières, unies deux à deux, par une charnière longitudinale, et constituant ainsi deux gouttières plus larges (fig. 1 et 2), qui, pour entrer dans le vagin, se placent l'une dans l'autre, autour d'un embout (fig. 3), sous un volume réduit (fig. 4), et, sitôt l'introduction, se développent, en glissant l'une sur l'autre de manière à former un cylindre creux, de dimensions variables (fig. 5). Ce spéculum est, parmi les spéculums à valves contiguës, celui qui, pénétrant dans le vagin avec un faible volume, s'y ouvre le plus largement eu égard à ce volume. M. Charrière vient de lui

faire subir tout dernièrement une petite modification, dans le but d'en rendre la manœuvre très facile pour les mains les moins exercées.

(Fig. 1.)   (Fig. 2.)   (Fig. 3.)

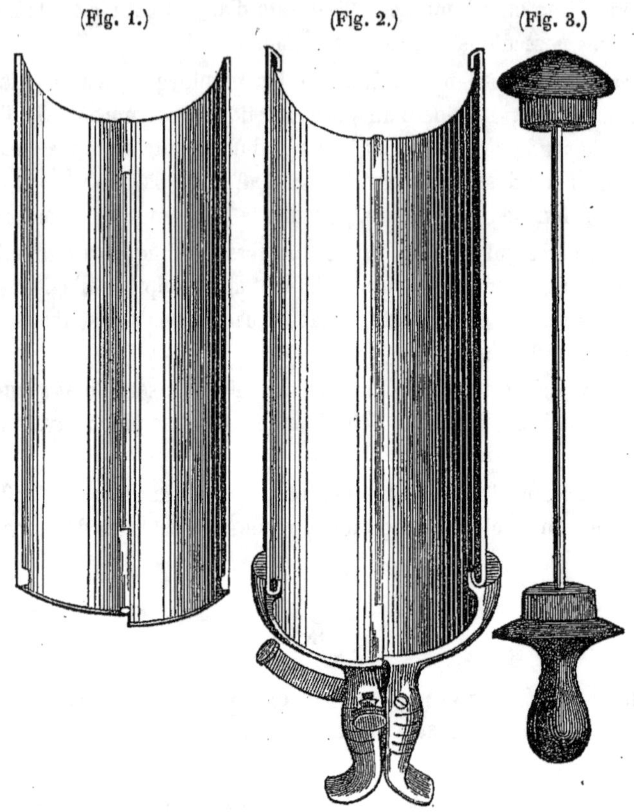

Armé de ce spéculum, je mets à découvert la partie malade, et je porte le caustique
directement sur elle, à l'aide d'un pinceau de blaireau que je commence par plonger
dans une solution de nitrate d'argent cristallisé dans partie égale d'eau distillée;

(Fig. 4.)

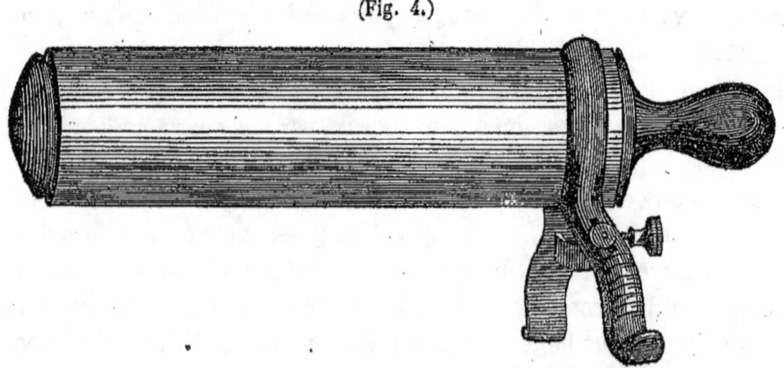

puis, pour limiter l'action du sel à la surface touchée par le pinceau, je dirige sur le col, exactement embrassé par le spéculum, 80 à 100 grammes d'eau, à l'aide d'une seringue à hydrocèle. Je recommande ensuite de simples injections d'eau ordinaire ou d'une eau mucilagineuse, à faire soir et matin.

(Fig. 5.)

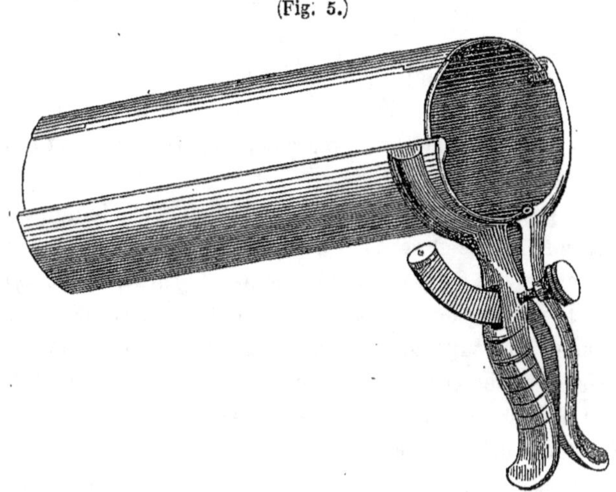

Je répète cette cautérisation tous les huit jours, et quelquefois plus souvent. J'ai attaqué bien des fois avec le même agent et de la même manière le catarrhe vaginal et le catarrhe utérin. J'ai le soin, quand il s'agit de cette dernière affection, de prendre un pinceau assez délié pour que, sous l'influence d'un mouvement de torsion imprimé par la main, il puisse pénétrer dans le col de l'utérus et jusque dans l'intérieur de cet organe.

Cette médication m'a donné de très heureux résultats dans des conditions où les moyens ordinaires s'étaient montrés insuffisants, ou même tout à fait inefficaces.

Dans quelques cas, je me suis servi, de préférence, d'un porte-caustique très mince, c'est lorsque, l'ouverture du col étant très étroite, le passage du pinceau offrait des difficultés.

D'autres fois, de même que dans l'urèthre et dans la vessie, j'ai porté le nitrate d'argent dans l'utérus sous forme liquide, à l'aide d'une petite seringue d'ivoire et d'une sonde de gomme élastique. C'est un moyen de le faire agir d'une manière plus générale.

J'ai plusieurs exemples de femmes, stériles jusque là, qui, sous l'influence de cette cautérisation de l'utérus, sont devenues mères, à leur grande joie.

Je ne parle pas du parti que l'on peut tirer du nitrate d'argent contre les démangeaisons, les irritations, les inflammations chroniques des parties génitales externes, notamment des grandes et des petites lèvres. C'est là une chose connue depuis longtemps, et mise en pratique par la plupart des praticiens. Je ferai seulement observer

qu'ici, de même que dans la partie profonde des organes génitaux, je donne généralement la préférence au sel à l'état liquide, et que je l'applique à l'aide d'un pinceau,
en l'étendant, bien entendu, de plus ou moins d'eau, suivant l'affection à combattre.

X

Je n'ai rien à dire des injections de nitrate d'argent employées contre la blennor-
rhagie commençante dans le but de la faire avorter, ni sur l'application de ce sel sur
le chancre primitif pour arrêter la marche de la syphilis. Mon cadre ne comprend que
les maladies chroniques.

Mais, parmi celles-ci, il en est encore une sur laquelle le nitrate d'argent exerce une
très heureuse influence et dont j'ai négligé de parler. C'est l'inflammation lente de la
membrane muqueuse du gland et du prépuce, *la balanite chronique*.

Nulle part les effets du sel d'argent ne sont plus faciles à observer, plus curieux à
étudier ; on voit de suite combien son action diffère selon que les parties sont saines
ou malades ; combien elle est faible sur les parties qui sont protégées par l'épithélium,
et combien elle est énergique sur celles qui en sont dépourvues. Je l'emploie ordinairement à l'état liquide et plus ou moins étendu d'eau.

Je dois ajouter que, tout dernièrement, à l'Académie de médecine, mon honorable
collègue M. Depaul, en examinant le beau travail de M. Huguier sur *l'allongement
exagéré du col de l'utérus*, a indiqué le nitrate d'argent comme un des moyens qu'on
peut lui opposer. Je ne suis pas en mesure d'exprimer une opinion personnelle à cet
égard. Je n'ai eu recours au nitrate d'argent qu'une seule fois contre l'hypertrophie
dont il s'agit, et le résultat que j'en ai obtenu, quoique avantageux, a été faible et peu
concluant.

Constatons, en terminant, que les maladies chroniques des organes génito-urinaires
qui cèdent ainsi à l'emploi du nitrate d'argent sont toutes de nature ou d'origine
inflammatoire, et qu'ici, comme sur la peau, comme dans les voies digestives, comme
dans les voies aériennes, ce puissant modificateur justifie parfaitement son nom de
caustique antiphlogistique.

Paris. — Typographie Félix Malteste et Cⁱᵉ, rue des Deux-Portes-Saint-Sauveur, 22.